The Mysterious Safe
Le mystère du coffre

Nathalie Chalmers

Sous la direction d'Anouk Journo-Durey

Illustré par Vivilablonde

Originaire d'Avignon, **Nathalie Chalmers** vit en Écosse où elle est traductrice et interprète.

Angliciste, titulaire d'un DESS en lexicologie, **Anouk Journo-Durey** est traductrice littéraire, lexicographe et auteure.
Formatrice, elle anime également des ateliers d'écriture.

Avec la participation d'Elaine McCarthy

Création graphique et mise en page : Élodie Breda

ISBN : 978-2-916238-64-7
Loi n°19-956 du 16 juillet 1949 sur les publications destinées à la jeunesse
Dépôt légal : octobre 2009

Chapitre 1

Tensions

Ce soir, à la maison, rien n'est comme d'habitude... L'ambiance est orageuse ! J'essaie de lire quand, soudain, j'entends des pas dans l'escalier. Angus ! D'habitude, j'aime bien quand il vient me chercher, mais ce soir, je n'ai pas trop le moral...

Angus entre dans ma chambre :

– Hé, Anouk, il y a des policiers dans toute la ville ! Il paraît que le **bijoutier**❋ a été **cambriolé**❋... Ils pensent que le **voleur**❋ n'est pas loin ! On va voir ?

– Non.

– Non ? Qu'est-ce qu'il y a ?

Il m'observe, étonné.

– Ça ne t'intéresse pas ?

❋ **un bijoutier/une bijoutière** : un vendeur de bijoux (bracelets, colliers, bagues...).
❋ **cambrioler** : entrer dans une maison ou un magasin pour voler.
❋ **un voleur/une voleuse** : quelqu'un qui prend ce qui ne lui appartient pas.

– À un autre moment peut-être. Angus, mon père revient mardi…
– Et alors ? Tu devrais être contente !
– Oui, mais… ça veut dire qu'on va rentrer en France.
– En France… tout de suite ?
– Papa va rester quelques jours pour voir Sally, mais ensuite, il faudra que je fasse mes valises.
Angus fronce les sourcils.
– Quoi ? Tu vas déjà partir ? J'ai l'impression que tu viens d'arriver en Écosse ! Le temps a passé trop vite. Grrrr…
Et il fait une grimace tellement comique que je ne peux pas m'empêcher d'éclater de rire. Avec lui, c'est toujours pareil : je ne suis jamais triste longtemps !
J'ai rencontré Angus il y a six mois. À ce moment-là, mon père partait en mission en Amérique du Sud. Comme je n'ai plus ma mère, Sally, une amie de la famille, a proposé de m'**accueillir**❊ chez elle, en Écosse. Je suis entrée au **collège**❊… Et dès le premier jour, qui m'a fait rire aux éclats à la **récré**❊ ? Angus, évidemment. Comme il parle assez bien français, on est devenus super copains.

❊ **accueillir** : recevoir un invité.
❊ **le collège** : l'école secondaire à partir de 11 ans en France et 12 ans en Écosse.
❊ **la récré** : la récréation, c'est-à-dire la pause entre les cours.

Angus s'approche de moi, l'air très sérieux :
– Bon, on va trouver une solution.
Il réfléchit :
– Si on **se débrouillait*** pour obliger ton père à rester ici ?
– Et comment ?
– Je ne sais pas encore. Il doit bien y avoir un moyen...
Je secoue la tête :
– Mission impossible.
– Tu **rigoles*** ? s'exclame Angus. Au contraire, c'est une mission très, très possible !

---

* **se débrouiller** : arriver à faire seul une chose difficile.
* **rigoler** *(familier)* : rire, plaisanter.

Quiz

1 Angus et Anouk sont
a. frère et sœur.
b. amis.
c. cousins.

2 Anouk est triste car
a. elle va bientôt quitter l'Écosse.
b. le bijoutier a été cambriolé.
c. son père n'est pas là.

3 Angus veut trouver une solution pour
a. trouver les bijoux volés.
b. faire rire Anouk.
c. qu'Anouk et son père restent en Écosse.

Réponses : 1 b – 2 a – 3c. Si tu as tout juste, passe au chapitre suivant.
Sinon, lis le résumé du chapitre, pages 36-37.

Chapter 2

The Angry Man

The morning after the **robbery**❀, I run back to Sally's house, where Anouk lives.

"Anouk!" I shout. "I've got a great idea for your dad! We can find him a job here. Let's buy a newspaper to see if there's a good **job advert**❀!"

She smiles at me, "Good idea, Angus!" Then, she calls out to Sally, "I'm going out with Angus, I won't be long!"

And she puts on her green jacket.

A few minutes later, we are reading the job adverts.

"Plumber, no... Hairdresser, I don't think so... Electrician, no, he's hopeless! Cook, definitely not... Angus, there's nothing!" Anouk complains.

❀ **a robbery:** when things are stolen.

❀ **a job advert:** a small article in the newspaper which describes an employment offer.

Suddenly, someone comes around the corner and **bumps into**❁ me. I look up into the face of a very **bald**❁ and very angry man.
"Aow!"
"You idiot, can't you look where you're going? Get out of my way!" he says.
And, **clutching**❁ his stomach under his black anorak, he goes away.
"That's odd. His **tummy**❁ was really hard!" I say.
"Are you OK?" Anouk asks.
But I'm not listening.
"Look, Anouk! What's this?"
Something is shining on the **pavement**❁. I pick it up.
"It looks like... a diamond **earring**❁," Anouk says.
"A diamond earring? Wow... It probably belongs to that man... Well, let's keep it," I say. "That will teach him to be so **rude**❁!"
But Anouk shakes her head. "We can't keep it. It could be a present for his wife!"

❁ **to bump into**: to hit something or someone by accident.
❁ **bald**: with no hair.
❁ **to clutch**: to hold something close.
❁ **the tummy** *(familiar)*: the stomach.
❁ **the pavement**: the space beside the street where people can walk safely.
❁ **an earring**: jewellery that you wear on your ear.
❁ **rude**: not polite.

"He didn't look like a man on his way to give a present to his wife, if you ask me!" I say.
"So, why does he have it then?" Anouk insists.
Suddenly, I have a good explanation:
"Maybe he's the **jewellery**❂ **thief**❂!"
Anouk looks at me with shining eyes.
"OK, let's follow him!" she says, looking round for the man.
"Oh, right, we'll just ask him if he's a thief! Hey, Anouk, come back... that was a joke!"
But Anouk, already running down the street, shouts:
"He's turning into Bramble Lane! Come on!"

❂ **jewellery**: bracelets, rings, earrings, etc.
❂ **a thief**: someone who steals.

Quiz

1 **Anouk and Angus buy a newspaper to**
a. find a job for Anouk's dad.
b. read the news.
c. find an electrician.

2 **Angus finds**
a. a newspaper.
b. an earring.
c. a jacket.

3 **Anouk runs after the man because**
a. she wants to give him the earring.
b. she wants to know if he is the jewellery thief.
c. she knows him.

Answers : 1 a – 2 b – 3 b. If all your answers are correct, go to the next chapter.
If not, read the summary of the chapter, pages 36-37.

Chapitre 3

Le coffre-fort

– Anouk, Anouk !

Angus m'appelle, mais moi, j'essaie de rattraper le mystérieux inconnu...

Quelques secondes plus tard, Angus me rejoint dans Bramble Lane.

– Où est l'homme ? demande-t-il.

– Mystère. Il a disparu.

Angus et moi marchons en silence dans la petite rue, très **déçus**⊛. En passant devant un garage avec une porte bleue, nous entendons du bruit. Je m'approche d'une fenêtre sur le côté. Angus me suit et nous regardons à travers la vitre sale. Je fais un bond en arrière. C'est lui ! L'homme à l'anorak noir !

– Aïe ! Mon pied ! crie Angus.

Une grosse voix s'élève dans le garage :

⊛ **déçu** : triste parce qu'on attendait quelque chose qui ne s'est pas produit.

– Who's there?
– Vite !
Angus m'attrape par la main et m'**entraîne**❁.
J'entends la porte du garage qui s'ouvre. L'homme nous cherche.
– Cachons-nous derrière ce **buisson**❁, me souffle Angus.
L'homme dépasse notre **cachette**❁, s'arrête un peu plus loin...
– Ouf, il est parti, chuchote Angus. Tu as vu... dans le garage... ?
– Le **coffre-fort**❁ ? Oui.
– Et tous ces bijoux... Tu avais raison, c'est bien le voleur !
– Alors, à nous d'agir. On ne peut pas le laisser **s'échapper**❁ !
Angus me sourit :
– On va lui tendre un **piège**❁. Si on tirait une **ficelle**❁ devant la porte du garage ? Quand il sortira, il tombera...

❁ **entraîner** : emmener quelqu'un en le tirant par le bras ou la main.
❁ **un buisson** : des plantes ou de petits arbres.
❁ **une cachette** : un endroit où personne ne peut te voir.
❁ **un coffre-fort** : une boîte en métal où l'on range des choses de valeur, et qu'on ouvre avec un code.
❁ **s'échapper** : partir en courant, s'enfuir.
❁ **un piège** : un système pour capturer une personne ou un animal.
❁ **une ficelle** : une petite corde.

– Et après ?
– On lui saute dessus et on l'attache !
– Hum… Il risque de nous écraser comme des mouches.
– Hé, parle pour toi, j'ai des muscles, moi ! répond Angus, vexé.
Je soupire :
– Bon d'accord. On va demander de la ficelle à Sally. Elle doit en avoir… Mais il faut faire vite !
Nous sortons du buisson. Je jette un coup d'œil dans la rue : personne. La voie est libre.

Quiz

1 Où est l'homme à l'anorak noir ?
a. Dans la rue.
b. Dans un garage dans Bramble Lane.
c. Dans une voiture.

2 Quand Anouk et Angus voient les bijoux dans le garage, ils pensent
a. que l'homme dans le garage est le voleur.
b. que l'homme dans le garage est riche.
c. que l'homme dans le garage est bijoutier.

3 Anouk et Angus veulent de la ficelle pour
a. la manger.
b. un jeu.
c. faire tomber le voleur.

Réponses : 1 b – 2 a – 3 c. Si tu as tout juste, passe au chapitre suivant.
Sinon, lis le résumé du chapitre, pages 36-37.

Chapter 4

The Mysterious Phone Call

Anouk and I run down Sally's street. When we arrive at her house, we call her name, but she doesn't answer.

"Where is she?" Anouk asks.

"I can hear her voice. She's speaking to someone."

"I think she's on the phone," Anouk says. "But we can't wait! We need to ask her for some **string**⊛."

I follow Anouk in the house. The sitting room door is **slightly**⊛ open, but we hesitate. It's rude to interrupt a telephone conversation. But we need that string, and fast, or the man is going to disappear again!

⊛ **a string:** a thin cord.
⊛ **slightly:** a little, a bit.

I'm about to❊ push the door open, but Anouk stops me. I realise that she's listening to Sally.
"No one suspects anything," Sally says on the phone. "No, I have hidden it in my bedroom... Don't worry."
Anouk and I look at each other, surprised.
"What does Sally mean? Suspect what? Hidden what? " I murmur to Anouk.
Then, we hear Sally say:
"Oh, someone is here, I have to go. See you tonight!"
And she puts the phone down.
"Is that you, Anouk? Oh! Hello, Angus. Did you have a good time?"
"Yeah, yes, er..." Anouk **mumbles**❊.
Sally doesn't seem to notice our strange **behaviour**❊.
"Come on Angus, let's go to my bedroom," Anouk says.
"Do you think she was speaking to the thief?" I ask Anouk, when we are in her room.
"Who else can it be? Sally must be involved in the robbery! I can't believe it!" Anouk says, very **upset**❊. "She's hiding some of the jewels

---

❊ **to be about to:** to be ready to, to be on the point of doing something.
❊ **to mumble:** to say hesitantly.
❊ **the behaviour:** how you act, your attitude.
❊ **upset:** unhappy, disappointed, angry.

in her bedroom... I know it's wrong, but we must have a look!"

We walk quietly into Sally's bedroom. Anouk looks under the bed.

"There's nothing..."

"Here!"

In the drawer of Sally's bedside table, under a book, I find a little red box. And in the box... there is a diamond ring!

"It looks a bit like the earring we found on the pavement!" I say. "Let's go!"

Anouk is already going down the stairs. I run after her, into the street.

Quiz

1. **Angus and Anouk think that Sally is speaking on the telephone to**
   - **a.** the jewellery thief.
   - **b.** her friend.
   - **c.** Angus's mother.

2. **What do they find in Sally's bedroom?**
   - **a.** An earring.
   - **b.** A ring.
   - **c.** Some string.

3. **Anouk runs out of the house because**
   - **a.** she thinks that Sally is a thief.
   - **b.** she has found some string.
   - **c.** she wants to play in the street.

Answers : 1 a – 2 b – 3 a. If all your answers are correct, go to the next chapter. If not, read the summary of the chapter, pages 36-37.

Chapitre 5

Au commissariat

– Anouk ! Attends-moi ! Et la ficelle ? crie Angus derrière moi.

– **Laisse tomber**❋ la ficelle ! Moi, je ne retourne pas chez Sally ! Cette bague fait partie des bijoux volés…

– Qu'est-ce qu'on fait ?

– On prévient la police !

– OK, je sais où est le **commissariat**❋, viens…

Quelques minutes plus tard, nous y sommes. Mais nous devons attendre.

– Et si ton père devenait policier ? suggère alors Angus. Il doit y avoir du travail…

Un policier nous appelle. Nous lui expliquons que les bijoux volés chez le bijoutier sont dans un coffre-fort, dans Bramble Lane…

❋ **laisser tomber** *(familier)* : oublier volontairement, ne plus s'intéresser à quelque chose.

❋ **un commissariat** : l'endroit où les policiers travaillent, leur bureau.

Nous décrivons le garage avec sa porte bleue et j'ajoute que nous avons vu les bijoux et le voleur.
Angus ne parle pas de Sally. Moi non plus. À cet instant, le plus important est d'arrêter le voleur.
Le policier nous pose quelques questions, se gratte la tête... Je ne vois pas pourquoi il réfléchit. Qu'est-ce qu'il attend ?
Finalement il nous dit qu'il va appeler des **collègues**⊛. Il nous remercie poliment et nous dit de rentrer chez nous.
Angus proteste un peu mais le policier est très ferme : c'est dangereux.
Angus et moi quittons le commissariat **à contrecœur**⊛.
– Et si le voleur n'est plus là quand la police arrive ?
– Je pensais la même chose... Viens ! dit Angus.
Et nous courons vers Bramble Lane.
Peu de temps après, nous arrivons devant le garage. Tout est calme. La porte bleue est fermée. Nous nous approchons de la petite fenêtre sur le côté. Cette fois, je fais attention de ne pas marcher sur les pieds d'Angus.

⊛ **un/une collègue** : une personne avec laquelle on travaille.
⊛ **à contrecœur** : sans en avoir vraiment envie.

– Il n'y a personne… Mais le coffre-fort est toujours là, murmure Angus.
Et il pousse la petite fenêtre… qui s'ouvre.
– Qu'est-ce que tu fais ?
– **À ton avis ?**✽ Je vais chercher le coffre bien sûr !
Angus passe par la fenêtre et saute dans le garage.
Évidemment, je le suis.
À ce moment-là, une voiture arrive à toute vitesse dans Bramble Lane…

✽ **à ton avis ?** : d'après toi ? qu'est-ce que tu en penses ?

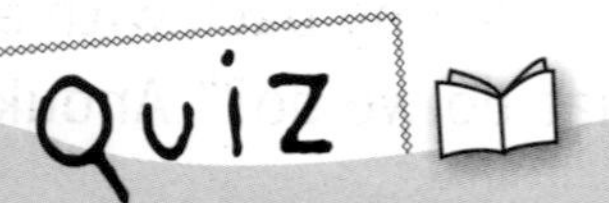

1 Anouk et Angus décident
- **a.** d'aller jouer.
- **b.** de rester chez Sally.
- **c.** d'alerter la police.

2 Le policier veut qu'Anouk et Angus
- **a.** viennent avec lui dans Bramble Lane.
- **b.** rentrent chez eux.
- **c.** attendent ses collègues.

3 Dans le garage, Anouk et Angus voient
- **a.** le voleur.
- **b.** le coffre-fort.
- **c.** des policiers.

Réponses : 1 c – 2 b – 3 b. Si tu as tout juste, passe au chapitre suivant. Sinon, lis le résumé du chapitre, pages 36-37.

Chapter 6

The Capture

"Do you think it's the police?" Anouk whispers in my ear.

"There's no siren... I don't think so."

"Then, it's... the thief! He's coming back with a car to take the **safe**⊛! What do we do?" Anouk asks, really **scared**⊛.

Think, think...

We can hear the thief close his car door.

I know! We don't have string, but we can still **trip him up**⊛ when he comes in! I mime this idea to Anouk. At the same time, we hear a noise: a key turns in the keyhole.

⊛ **a safe**: a lockbox, a metal box to keep precious things; you open it with a code.

⊛ **scared**: afraid.

⊛ **to trip someone up**: to make someone fall.

We run to hide **on either side**❋ of the door. I hope he doesn't hear us.
The door opens. We put our feet out as the man comes in. He trips, falls, and bangs his head on an old box. He doesn't move anymore...
Anouk and I stare at him.
"Do you think he is ddddd... dead?" I ask.
Anouk doesn't reply. She's like a statue. I want to run, but my feet feel as if they are glued to the floor.
Suddenly the man moves, opens his eyes, and rubs his head. He looks up and says, "You! Again!"
Oh no, he stands up! And he blocks the door... We can't escape!
He goes towards Anouk. She screams, tries to run, but he grabs her by the **sleeve**❋ of her green jacket. She **wriggles**❋ like a worm, but he doesn't let her go.
Now, he comes for me. He looks mad. At that moment, Anouk kicks him very hard on the leg. He screams. There's a terrible noise: did Anouk break his leg?

❋ **on either side**: on the right and on the left.
❋ **a sleeve**: the part of a shirt or a jacket that covers your arm.
❋ **to wriggle**: to move a lot, quickly.

Anouk runs for the door. The thief stands there, a green sleeve in his hand. The noise was Anouk's sleeve **tearing off**✻! And Anouk is out! I try to follow her, but now the thief comes towards me! His face is very red... He's going to get me!
Suddenly, a stone breaks through a window and falls next to our feet. Surprised, the thief turns to look at the window. I run for the door. Outside, I see Anouk, another stone in her hand, ready to do it again. I am almost there, but the thief is right behind me...

✻ **to tear off**: to cut off, and break.

Quiz

1. **How do Angus and Anouk try to stop the thief?**
   a. They make him fall.
   b. They scream.
   c. They tie him up with string.

2. **How does Anouk escape from the thief?**
   a. The thief lets her go.
   b. She leaves the sleeve of her jacket in his hand.
   c. She makes him fall.

3. **Who helps Angus to escape?**
   a. Anouk.
   b. The police.
   c. Nobody.

Answers : 1 a – 2 b – 3 a. If all your answers are correct, go to the next chapter.
If not, read the summary of the chapter, pages 36-37.

Chapitre 7

Triomphe

Ouf ! Angus sort du garage ! Mais le voleur est juste derrière lui...

Les sirènes, j'entends les sirènes ! Trois voitures de police s'arrêtent dans un nuage de poussière devant le garage. La main du voleur est sur le bras d'Angus...

– Stop ! Police !

Les policiers s'approchent de l'homme. Il est obligé de lâcher Angus et de lever les mains. Les policiers l'attrapent, lui mettent des **menottes**✲ et l'emmènent. L'homme nous regarde méchamment... En frissonnant de peur, je **me détourne**✲, puis je cours vers Angus.

– Ça va ?

✲ **des menottes** : des bracelets de métal reliés par une chaîne que la police utilise pour attacher les criminels.

✲ **se détourner** : bouger pour regarder ailleurs.

Il fait oui de la tête, en silence.
L'un des policiers nous félicite pour notre aide.
Il nous fait monter dans une autre voiture.Le coffre-fort se trouve entre nous. Impressionnant !
De retour au commissariat, les policiers réussissent rapidement à ouvrir le coffre-fort. Une montagne de bijoux en tombe. Angus sort de sa poche la boucle d'oreille trouvée sur le trottoir, et l'ajoute au reste.
Un policier établit la liste des objets dans le coffre. Tous les bijoux volés à la bijouterie y sont.
– Mais alors... Et la bague qu'on a trouvée chez Sally ? me chuchote Angus.
– Si ce n'est pas un des bijoux volés, de quoi parlait-elle au téléphone ? Et à qui ?
Encore un mystère...
Peu de temps après, les parents d'Angus, ainsi que Sally, arrivent au commissariat. Nous sommes en train de leur raconter notre aventure quand, soudain, Sally regarde sa **montre**✻ et dit :

✻ **une montre** : l'objet que l'on porte au poignet pour savoir l'heure.

– Oh, vite, il faut rentrer !
Elle me prend par le bras et m'entraîne vers la sortie sans explication. Angus et ses parents ont l'air aussi surpris que moi.
– Vous venez ? leur dit Sally avant de sortir. Je vous attends chez moi !

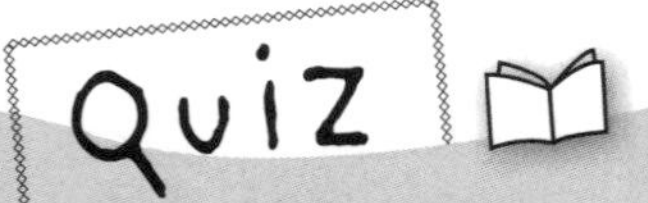

1. **Qui arrête le voleur ?**
   a. Angus.
   b. Anouk.
   c. Les policiers.

2. **Les bijoux du bijoutier sont-ils tous dans le coffre-fort ?**
   a. Oui.
   b. Oui sauf la boucle d'oreille qu'Angus a trouvée dans la rue.
   c. Oui sauf la bague de Sally.

3. **Que fait Sally ? (2 réponses)**
   a. Elle part sans Anouk.
   b. Elle part avec Anouk.
   c. Elle invite Angus et ses parents chez elle.

Réponses : 1 c – 2 b – 3 b/c. Si tu as tout juste, passe au chapitre suivant.
Sinon, lis le résumé du chapitre, pages 36-37.

Chapter 8

The Party

We follow Anouk and Sally out of the police station. Why does Sally think something else is more important than our story?
A few minutes later, we arrive in front of Sally's house. At the same time, a taxi stops.
"Papa!" Anouk runs to her father.
"Surprise!" he laughs, **hugging**❁ her.
So this is why Sally **was in a hurry**❁! She was **expecting**❁ Anouk's dad...
But there is another surprise: Sally's house is decorated with balloons! And more people arrive. It's a party! In the garden, little lights decorate the trees and a big table is covered with pizzas, quiches, salads, and lovely desserts. Yum...

❁ **to hug:** to put your arms around someone with affection.
❁ **to be in a hurry** : to do things quickly.
❁ **to expect somebody:** to wait for a person to arrive.

"How did Sally organise a party for us so quickly?" I whisper to Anouk.
"It's not for us, it's for my dad!" she laughs. "Sally knew that he was coming back early, and that he wanted to surprise me."
"But we haven't solved our mystery yet! What about the ring in Sally's bedroom?" I ask.
Anouk doesn't have time to reply because now, her dad is **making a speech**✲.
"This party is a celebration of three events," he announces. "First of all, **congratulations**✲ to Angus and Anouk for catching the thief and finding the jewellery."
I turn to Anouk, "Ha, ha! I was right, this party is for us!"
But she doesn't look convinced. "The second reason is to celebrate his return. So what's the third one?" she asks me.
"And the third reason for this party is..."
Anouk's dad takes a little red box from his pocket. He opens it and gives it to Sally. Inside there is... the ring we found in Sally's bedroom! It's an **engagement**✲ ring!
All of a sudden, everything becomes clear. Sally

✲ **to make a speech:** to speak to a group of people.
✲ **congratulations:** bravo, well done.
✲ **an engagement:** when two people decide to get married.

was speaking to Anouk's dad on the phone, not to the thief!

"Before we get married," Anouk's dad says, "Sally and I wanted to make sure that Anouk is happy to live here. Well, apparently, she is!" he laughs.

Anouk runs to embrace her dad and Sally. She's laughing and crying at the same time. What a day!

"Angus!" she shouts. "We're going to live here! Dad will work from here and travel like before!"

I smile, and I hug her. Life is always full of surprises, isn't it? I like surprises, almost as much as mysteries!

Quiz

1. **What surprises do Angus and Anouk have when they arrive at Sally's house? (2 answers)**
   a. There is a party.
   b. The police arrive.
   c. Anouk's dad arrives.

2. **The ring that Anouk and Angus saw in Sally's bedroom is**
   a. part of the stolen jewellery.
   b. an engagement ring for Sally from Anouk's dad.
   c. a present for Anouk.

3. **Anouk is going to stay in Scotland.**
   a. True
   b. False

Answers : 1 a/c – 2 b – 3 a. If all your answers are correct, congratulations!
If not, read the summary of the chapter, pages 36-37.

Bonus

Résumés
Summaries

Chapitre 1

Angus est écossais et son amie Anouk est française. Anouk habite en Écosse depuis six mois, chez Sally. Angus vient annoncer à Anouk qu'il y a eu un vol chez le bijoutier. Mais Anouk ne l'écoute pas. Elle est triste car son père va bientôt revenir et elle va devoir repartir. Angus cherche un moyen pour qu'elle reste en Écosse.

Chapter 2

The following day, Angus has an idea: if they find a job for Anouk's dad in Scotland, Anouk can stay. They buy a newspaper to read the list of jobs. In the street, a man walks into Angus. When he goes away, Angus notices an earring on the ground. Anouk and Angus think it belongs to the man, and he may be the one who stole the jewels. Anouk runs after the man, and Angus follows her.

Chapitre 3

L'homme disparaît dans une petite rue : Bramble Lane. Anouk et Angus entendent du bruit dans un garage. Ils regardent par la fenêtre. L'homme est dans le garage, avec un coffre-fort plein de bijoux. C'est le voleur ! Anouk et Angus cherchent une solution pour l'arrêter. Ils décident de demander de la ficelle à Sally pour faire tomber le voleur. Ensuite, ils l'attacheront...

Chapter 4

When Angus and Anouk arrive at Sally's house, she's on the phone. They hear Sally say that she's hiding something and they find what it is: a diamond ring! They think she has stolen it and is the robber's accomplice. They run away.

Chapitre 5

Anouk et Angus alertent la police. Le policier leur demande de rentrer chez eux et leur dit que la police va arrêter le voleur. Mais Anouk et Angus pensent que cela sera trop long. Ils repartent vers Bramble Lane. Le voleur n'est plus là mais le coffre-fort est dans le garage. Ils entrent.

Chapter 6

Anouk and Angus make the thief fall when he comes in. When he gets up, he's furious. He catches Anouk. Her jacket sleeve tears and she escapes. The thief is going to catch Angus, but Anouk throws a stone through the window and distracts him.

Chapitre 7

La police arrive et arrête le voleur. Les policiers emmènent Anouk et Angus au commissariat. Tous les bijoux volés à la bijouterie sont dans le coffre-fort. La bague de Sally n'est donc pas un des bijoux volés. Les parents d'Angus et Sally arrivent au commissariat. Les enfants veulent raconter leur aventure, mais Sally s'en va avec Anouk et invite la famille d'Angus à venir chez elle.

Chapter 8

Surprise! Anouk's dad is back! And there is a party at Sally's house. Angus thinks the party is for them. But the party is because Sally and Anouk's dad want to get married. The ring in Sally's bedroom is her engagement ring. Sally is not a thief! Anouk is going to stay in Scotland with her dad and Sally. Everybody is very happy!

Une drôle de conversation

Mélie et Mellow ont quelques trous de mémoire. Quand ils parlent, ils oublient des mots importants. Peux-tu les aider à retrouver ces mots manquants ?

Bonjour Mellow !

Qu'est-ce que tu veux faire ce soir ?

Le film dans lequel deux jeunes capturent le ------ ?

Oui ! C'est à quelle ----- ?

D'accord, à tout à l'heure !

Solutions : Hello – film – voleur – want – heure – o'clock

A Funny Conversation

Mélie and Mellow are very forgetful today! They keep forgetting important words when they speak. Can you help them fill in the blanks?

----- Mélie !

I would like to go to the cinema. I want to see the new ---- about a jewellery thief!

Yes! Do you ---- to come?

At 8 -------!

Bye!

Oh là là ! Qu'est-ce que tu racontes ?
Oops! What do you mean?

Replace les onomatopées dans les bonnes bulles en observant les expressions du visage de Mélie et Mellow.

Match the words with Mélie and Mellow's facial expressions.

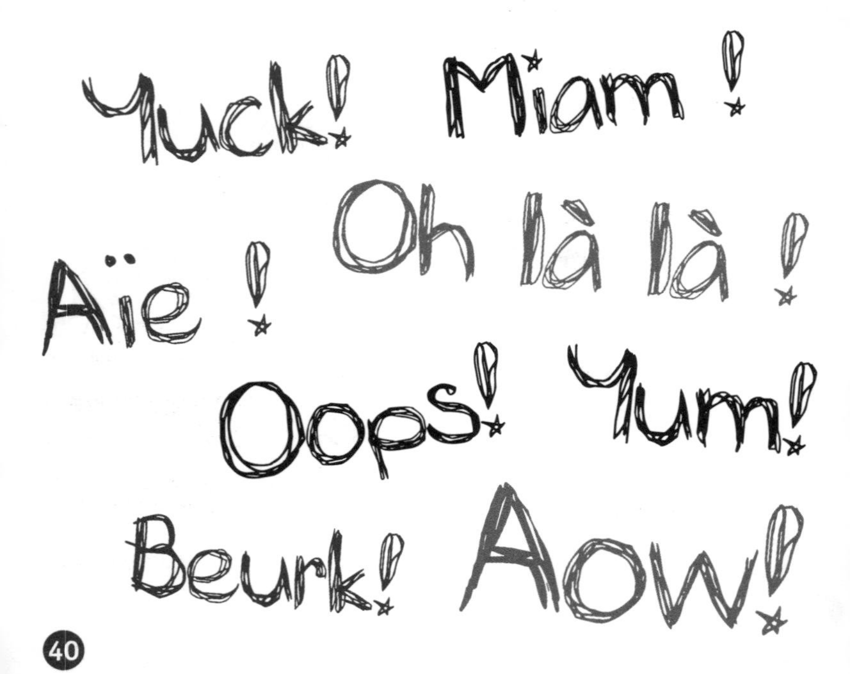

Solutions : 1. Aïe ! Aow! – 2. Beurk ! Yuck! – 3. Oh là là ! Oops! – 4. Miam ! Yum!

Les mots mystérieux
Mysterious Words

Les mots sont vraiment curieux... Ils cachent d'autres mots comme un coffre-fort cache des bijoux ! Regarde les exemples et fais pareil avec les autres mots.

Words are funny... They can hide other words like a safe hides jewels! Look at the examples and do the same with the words in the list.

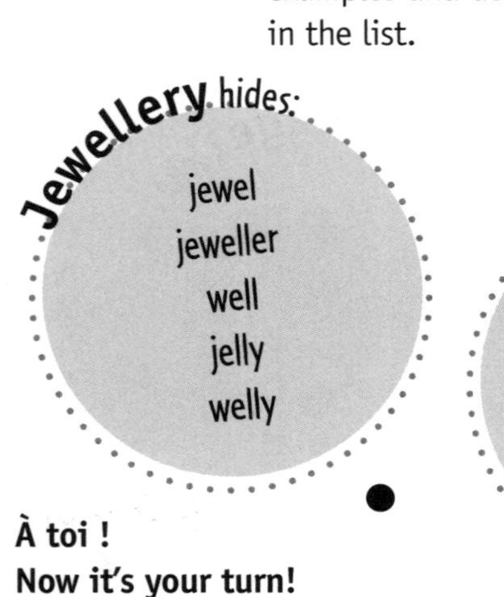

Voleur cache :

vol
roule
roue
voler
or

À toi !
Now it's your turn!

Solutions :

Window hides: Wind – In – Down – Now – Won – Win – No
Ficelle cache : Fille – Elle – Clef – Celle – File – Cil
String hides: Ring – Sting – Grit – Sing – Nit – Tin – Grin
Fenêtre cache : Être – Fente – Fête – Entre – Rêne
Policeman hides: Police – Man – Ice – Mice – Nice – Lip – Lap – Pal – Pale – Clap – Clip – Clop – Lop – Lope – Cope – Cop – Camp – Lamp – Limp – Ace – Place
Garage cache : Are – Age – Rage – Gage – Gag
Newspaper hides: News – New – Paper – Ape – Pep – Rap – Swap – Raw – Paw
Buisson cache : Son – Nos – Nous – Bon – Bison – Bus – Buis

Window hides:

Ficelle cache :

String hides:

Fenêtre cache :

oliceman hides:

Garage cache :

Newspaper hides:

Buisson cache :

Le savais-tu ?
Did you know?

In Scotland school begins mid-August. Schooldays begin at 9 am and finish at 3.30 pm.

En France, les élèves ne vont pas à l'école le mercredi. Mais ils commencent en général à huit heures et demie le matin et finissent à quatre heures et demie le soir.

The Scottish national costume is the kilt. Men (and sometimes women) wear kilts for special events, parties or even for a football or a rugby match!

En France, il existe plus de 360 sortes de fromages. Le fromage est servi à la fin de chaque repas, avant le dessert.

Fourche-Langue
Tongue Twisters

Répète ces phrases de plus en plus vite !

Repeat these sentences faster and faster!

You've no need to light a night-light
On a light night like tonight,
For night-light's light's a slight light
And tonight's a night that's light...

Qu'a bu l'âne au lac ?
L'âne au lac a bu l'eau
Qu'a bu l'âne au quai
Au quai l'âne a bu l'eau...

Table des matières
Table of contents

Bonus

Dans la même collection

My New Life • Ma nouvelle vie,
Corinne Laven

The Lake Monster • Le monstre du lac,
Jeannette Ward

The Football Shirt • Le maillot de foot,
Sharon Santoni

Achevé d'imprimer en France par Grapho 12
N° d'imprimeur : 2009060070